Le livre de cuisine des enfants

Catherine Libeau

Conseils avant de commencer

Cuisiner est un vrai plaisir si tu suis ces quelques conseils:

Cuisine toujours quand il y a un adulte à la maison.

Lis d'abord toute la recette.

Prépare avec un adulte les ustensiles et appareils dont tu as besoin.

Choisis du matériel qui ne soit pas trop lourd pour toi.

Prépare tous les ingrédients dont tu vas avoir besoin.

Travaille avec méthode: il faut suivre une recette pas à pas.

Utilise une planche à découper quand tu coupes des ingrédients.

Méfie-toi des sources de chaleur: la vapeur d'eau pourrait te brûler.

N'oublie pas de mettre des gants de protection pour placer ou sortir un plat du four ou manipuler des casseroles chaudes.

Le Ballon

Potage aux tomates

Mmmmm

*Le potage aux tomates est délicieux
et très facile à préparer.
Chiche que tu peux le faire?
Voici une recette pour 4 personnes.*

Il te faut

-500 g de tomates
-1 oignon
-2 c. à soupe de beurre
-1 c. à soupe de purée
 de tomates

-1 cube de bouillon
 de poule
-1/2 l d'eau
-1 c. à soupe de sucre
-persil
-une pincée de poivre

Comment faire?

Lave les tomates
et coupe-les en 4. Hache
finement l'oignon. Fais fondre
le beurre dans une casserole.

Quand le beurre a fondu, ajoute
les tomates et l'oignon. Mélange
bien le tout à l'aide d'une
cuillère en bois.

Verse la purée de tomates, l'eau, le cube de bouillon et le sucre. Laisse mijoter à feu doux pendant 10 minutes.

Passe le potage au mixeur Un brin de persil avant de servir, une pincée de poivre et ce sera parfait!

Hamburgers

*Voici une recette pour réaliser
4 hamburgers géants.
C'est plus facile que tu le penses!
Tu es prêt?*

Il te faut

-2 oignons
-300 g de viande hachée
-1 œuf
-2 c. à soupe de chapelure
-sel et poivre

-6 c. à soupe d'huile
  d'olive
-ketchup
-2 tomates
-quelques feuilles de
  laitue

Comment faire?

Lave les tomates et la salade.
Coupe les tomates en tranches.
Coupe l'oignon et les feuilles
de salade. Ouvre les pains.

Dans une terrine, mélange
la viande, l'œuf, la chapelure,
du sel et du poivre, puis fais-en
4 galettes.

Chaque jour, plus de 350 millions de hamburgers sont consommés dans le monde entier.

3 Fais chauffer l'huile dans une poêle et mets-y les hamburgers à dorer de chaque côté. Garnis les pains de salade.

4 Pose des tranches de tomates sur la salade, puis la viande. Garnis d'oignons et de tomates et n'oublie pas le ketchup!

Spaghetti Bolognaise

Mmmmm

Le truc pour manger les spaghetti?
Tenir sa cuillère à gauche et sa fourchette
à droite, puis enrouler les spaghetti
autour de la fourchette!

Il te faut

- -2 l d'eau
- -250 g de spaghetti
- -1 oignon émincé
- -huile d'olive

- -100 g de viande hachée
- -6 tomates pelées
- -1 c. à thé d'origan
- -sel et poivre

Comment faire?

1

Fais chauffer de l'huile dans une poêle et fais-y dorer le hachis. Fais chauffer un peu d'huile dans une autre poêle pour y faire revenir l'oignon.

2

Ajoute les tomates pelées, du sel et du poivre. Fais cuire à feu doux pendant 20 minutes, puis ajoute la viande cuite.

Les spaghetti viennent d'Italie, bien sûr, mais aujourd'hui on en consomme dans le monde entier.

3 Pendant la cuisson, fais bouillir l'eau avec une pincée de sel. Plonges-y les spaghetti. Le temps de cuisson est écrit sur l'emballage.

4 Egoutte les spaghetti et répartis-les sur deux assiettes. Nappe-les de sauce et c'est prêt!

Boulettes de viande

Mmmm

*Tu pourras confectionner au moins
14 boulettes: 7 pour toi et
7 pour quelqu'un de ton choix.
Enfile vite ton tablier!*

Il te faut

-250 g de viande hachée
-2 c. à soupe de chapelure
-farine
-1 oignon
-huile ou matière grasse

-1 boîte de tomates
 concassées
-noix de muscade
-1 l d'eau
-sel et poivre

Comment faire?

Mélange la chapelure à la viande hachée. Mets un peu de farine sur tes mains et réalise les boulettes.

Fais bouillir l'eau et plonges-y les boulettes. Retire-les à l'aide d'une écumoire quand elles remontent à la surface.

Fais blondir l'oignon coupé dans un peu d'huile chaude. Ajoute les tomates et une pincée de noix de muscade.

Laisse mijoter la sauce à feu doux pendant 20 minutes. Répartis les boulettes sur les assiettes et nappe-les de sauce.

Sandwiches Crocodile

*Beaucoup de gens
mangent avec les yeux!
C'est pourquoi la présentation
d'un plat doit être très soignée…*

Il te faut

- -4 sandwiches
- -des feuilles de laitue
- -1 poivron rouge
- -8 olives
- -4 tranches de fromage

- -4 tranches de jambon
- -2 œufs
- -4 gros cornichons
- -beurre

Comment faire?

Fais bouillir l'eau dans un poêlon et plonges-y les œufs. Laisse-les cuire 5 minutes. Coupe les sandwiches en deux.

Lave la laitue et le poivron. Beurre les sandwiches. Garnis-les de laitue et d'une tranche de fromage.

Attention de ne pas te faire mordre les doigts!

Enroule les tranches de jambon et dépose les roulades sur le fromage, comme sur la photo.

Utilise les ingrédients qui restent pour transformer tes sandwiches en crocodiles. Bon appétit!

Pizzas

Mmmmm

*Pour cette recette, tu as besoin de
4 petits fonds de pizza.
Un grand fond fera aussi l'affaire.
A toi de choisir les garnitures!*

Il te faut

- 4 petits fonds de pizza surgelés
- 1 boîte de tomates
- 1 oignon
- 2 c. à soupe d'huile d'olive
- du fromage râpé

- pour la garniture, au choix: champignons, poivrons, courgettes, olives, jambon, crevettes, thon, origan

Comment faire?

Coupe finement l'oignon.
Fais chauffer de l'huile dans un poêlon et fais-y blondir l'oignon. Ajoute les tomates.

Sale et poivre.
Laisse cuire la sauce pendant 15 minutes. Nappes-en le fond des pizzas.

Nous sommes tout simplement mignonnes à croquer!

Garnis les pizzas avec les ingrédients de ton choix. Tu peux aussi t'inspirer de notre photo!

Parsème de fromage et d'origan. Fais cuire 15 minutes au four préchauffé à 180°C.

Biscuits

Mmmmm

Préparer de délicieux biscuits?
Rien de plus facile!
Et tu peux même leur donner la
forme que tu souhaites!

Il te faut

-120 g de beurre ramolli
-120 g de sucre
-1 œuf
-200 g de farine

décoration:
-noisettes pilées,
-raisins secs,
-crème, etc.

Comment faire?

Verse la farine dans une terrine. Ajoute l'œuf, le sucre et le beurre. Malaxe bien le tout. Forme une boule avec la pâte.

Etale la pâte sur le plan de travail avec un rouleau à tarte. Découpe des formes et décore-les.

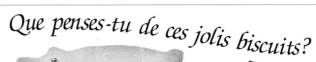

Que penses-tu de ces jolis biscuits?

3 Dépose tes biscuits sur une plaque beurrée. Fais chauffer le four à 180°C.

4 Laisse cuire les biscuits jusqu'à ce qu'ils soient dorés.

Gâteau d'anniversaire

Mmmmm

*Il n'y a pas d'anniversaire
sans gâteau!
A toi de décorer le gâteau et
d'y ajouter les bougies...*

Il te faut

- 4 œufs
- 200 g de sucre
- 200 g farine fermantante
- 1 c. à soupe de sucre glace
- 2 c. à soupe d'eau

décoration:
- bonbons
- confiture
- crème fraîche
- chocolat
- bougies...

Comment faire?

1

Dans une terrine, mélange le sucre et les œufs pendant 10 min., avec un mixeur. Plonge la terrine dans de l'eau chaude et continue à battre 10 min.

2

Ajoute la farine en la tamisant et incorpore-la au mélange. Graisse le moule à gâteau et saupoudre-le de farine. Préchauffe le four à 175°C.

joyeux anniversaire joyeux anniversaire

3

Verse la pâte dans le moule et mets à cuire pendant 1 heure. Laisse refroidir. Coupe le gâteau en 2 et tartine l'intérieur de confiture.

4

Glace le dessus du gâteau: fais fondre le sucre glace dans l'eau. Décore le gâteau!

Glaces clown

Tu as invité des ami(e)s et tu te demandes ce que vous allez faire? Propose-leur de réaliser des glaces: c'est aussi amusant que délicieux!

Il te faut

- glace vanille
- glace à la fraise
- 1 bombe de Chantilly
- cerises confites
- des bonbons (pour les yeux)
- des cornets de glace

Comment faire?

1

Remplis des verres à ras bord avec les glaces. Lisse la glace avec une palette en bois ou la lame d'un couteau.

2

Surmonte le tout d'une boule de glace qui formera le visage du clown.

Le grand retour du froid!

3

Pour les cheveux, utilise la Chantilly. Place les bonbons pour les yeux et pose une cerise pour le nez.

4

Il ne reste qu'à poser le cornet comme chapeau et… à vite déguster ce beau clown avant que la glace fonde!

Yaourt aux framboises

Mmmmm

*Tu peux aussi réaliser cette recette
pour 4 personnes avec
du fromage blanc au lieu de yaourt
et des mûres ou des fraises.*

Il te faut

-250 g de framboises
-1/2 l de yaourt
-50 g de sucre glace

Comment faire?

Mets 4 framboises et un peu de yaourt à part pour la décoration. Réduis le reste des fruits en mousse (à la fourchette ou au mixeur).

Incorpore le sucre à la mousse. Ajoute ensuite le yaourt et mélange bien le tout.

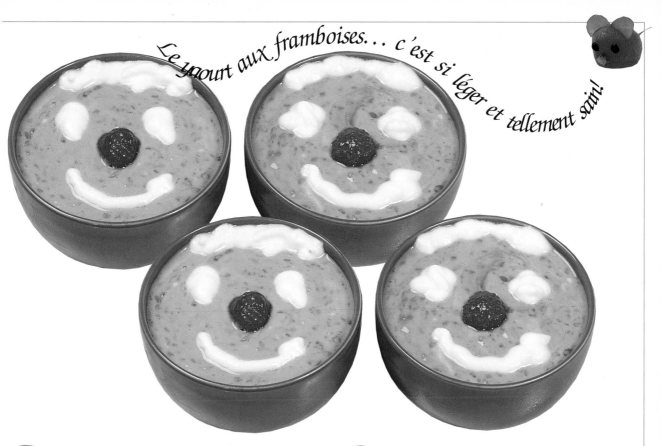

Le yaourt aux framboises... c'est si léger et tellement sain!

Répartis la mousse dans 4 raviers. Décore d'une framboise et de rosaces de yaourt (celui que tu avais mis à part).

Tu peux réaliser des visages comme sur la photo ou créer une garniture originale. Bon appétit!

Mmmmm Pudding au chocolat

Voilà une recette pour les fous
de chocolat et de pudding!
Un soupçon de poire et… ce dessert
pour 4 devient très rafraîchissant.

Il te faut

- 2 poires
- 2 c. à soupe de sucre
- le jus de 1 citron
- 1 sachet de pudding au chocolat
- des amandes effilées
- 1/2 l de lait (pour le pudding)
- des raisins secs
- 1/2 l d'eau

Comment faire?

Pèle les poires. Coupe-les en deux et enlève le cœur. Dans un poêlon, mélange l'eau, le sucre et le jus de citron.

Fais-y cuire les poires puis laisse-les refroidir. Prépare le pudding selon les indications de l'emballage.

Mets 1/2 poire dans chaque ravier puis verse le pudding. Place au réfrigérateur pendant 1 heure. Retourne les raviers sur les assiettes.

Décore le pudding avec des amandes et des raisins secs, comme sur notre photo ou crée tes propres décorations.

INDEX

Merci à Elisabeth Pauwels pour la préparation des plats
et sa patience lors des longues séances de photos.
Photos: Studio Le Ballon.